Die Blätter heimischer und kultivierter Laubsträucher im Vergleich

QUELLE & MEYER
BESTIMMUNGSKARTEN

1. Berberitze
Berberis vulgaris

2. Echter Kreuzdorn
Rhamnus cathartica

3. Buchsbaum
Buxus sempervirens

4. Efeu
Hedera helix

5. Faulbaum
Frangula alnus

6. Kleines Immergrün
Vinca minor

7. Besenginster
Cytisus scoparius

8. Purpurweide
Salix purpurea

BLATTFLÄCHE EINFACH, BLATTRAND (FAST) GLATT

9. Rote Heckenkirsche
Lonicera xylosteum

10. Lorbeerkirsche
Prunus laurocerasus

11. Europäischer Feuerdorn
Pyracantha coccinea

12. Wald-Geißblatt
Lonicera periclymenum

13. Gelber Hartriegel
Cornus mas

14. Roter Hartriegel
Cornus sanguinea

15. Mistel
Viscum album

16. Liguster
Ligustrum vulgare

GEFIEDERT

41. Hundsrose
Rosa canina

42. Runzelrose
Rosa rugosa

43. Schwarzer Holunder
Sambucus nigra

44. Roter Holunder
Sambucus racemosa

45. Mahonie
Mahonia aquifolium

46. Essigbaum
Rhus typhina

33. Bleibusch
Amorpha fruticosa

34. Glyzinie
Wisteria sinensis

35. Gewöhnliche Waldrebe
Clematis vitalba

36. Goldregen
Laburnum anagyroides

37. Himbeere
Rubus idaeus

38. Brombeere
Rubus fruticosus agg.

39. Kratzbeere
Rubus caesius

40. Pimpernuss
Staphylaea pinnata

17. Rauschbeere
Vaccinium uliginosum

18. Heidelbeere
Vaccinium myrtillus

19. Preiselbeere
Vaccinium vitis-idaea

20. Pfaffenhütchen
Euonymus europaeus

21. Schneebeere
Symphoricarpos albus

22. Wolliger Schneeball
Viburnum lantana

23. Sanddorn
Hippophae rhamnoides

24. Schmalblättrige Ölweide
Elaeagnus angustifolia

BLATTFLÄCHE EINFACH, BLATTRAND DEUTLICH GEZACKT ODER GEZÄHNT

25. Forsythie
Forsythia x intermedia

26. Grün-Erle
Alnus viridis

27. Haselnuss
Corylus avellana

28. Schlehe
Prunus spinosa

29. Gewöhnlicher Schneeball
Viburnum opulus

30. Ranunkelstrauch
Kerria japonica

31. Gemeiner Seidelbast
Daphne mezereum

32. Stechpalme
Ilex aquifolia

Besenginster Foto: W. Willner

Bildnachweis:
Wolfgang Willner: 1-11, 13-22, 24, 27, 28, 30-32, 35, 37, 39, 41, 44-46; Helmut Baumann: 12, 23, 34, 36, 40, 42, 43; Gisela Tubes: 29, 38; Gisela Herrmann: 26; Rdsmith4 (Wikimedia Commons): 25; Dalgial (Wikimedia Commons): 33

Projektberatung und Zusammenstellung:
Bruno P. Kremer

Weiterführende Literatur:
Lüder: Grundkurs Gehölzbestimmung (ISBN 978-3-494-01915-4)
Schmidt/Hecker: Die wildwachsenden und kultivierten Laub- und Nadelgehölze Mitteleuropas (ISBN 978-3-494-01800-3)

ISBN 978-3-494-01553-8
Best.-Nr.: 494-01553
www.quelle-meyer.de

9 783494 015538

QUELLE & MEYER
BESTIMMUNGSKARTEN